editorial**Sol90**

CUENTOS INFANTILES

© 2004 Editorial Sol 90, S.L. Barcelona

© De esta edición 2005, Diario El País, S.L. Miguel Yuste, 40, 28037 Madrid

Todos los derechos reservados

ISBN: 84-96412-62-8

Depósito legal: M-2539-2005

Idea y concepción de la obra: **Editorial Sol 90, S.L.**

Coordinación editorial: **Emilio López**

Adaptación literaria: **Alberto Szpunberg**

Ilustraciones: **Lancman Ink.**

Diseño: **Jennifer Waddell**

Diagramación: **Teresa Roca**

Revisión editorial: **Santillana Ediciones Generales, S.L.**

Producción editorial: **Montse Martínez, Marisa Vivas, Xavier Dalfó**

Impreso y encuadernado en UE, abril 2005

Cenicienta

Basado en el cuento de
Charles Perrault

Ilustrado por Lancman Ink.

Había una vez una joven muy bella, cuya madre había muerto cuando ella aún era pequeña.

Su papá se esmeraba por darle todos los cuidados y educarla. Pero, como era muy pobre y tenía que trabajar todo el día, apenas le quedaba tiempo para atenderla.

Un día, el padre le preguntó a su hija:

—Hijita, ¿te gustaría tener una mamá que te cuidase?

—Pues claro que sí, papá. ¡Sería maravilloso! —exclamó entusiasmada la niña.

Y así fue como el papá de aquella dulce joven decidió casarse de nuevo.

La nueva esposa, que también era viuda, tenía dos hijas.

"Las tres niñas crecerán juntas y serán buenas amigas", pensó el padre.

Pero la madrastra, que era una mujer muy antipática, no pensaba lo mismo. A sus dos hijas las cuidaba y las mimaba, pero a su hijastra la obligaba a hacer todas las tareas del hogar, como limpiar la chimenea.

Por eso, no era casualidad que a aquella pobre niña la llamasen Cenicienta, pues todo el día andaba manchada de ceniza.

Un día, el rey de aquel país pensó que su hijo, el príncipe, ya estaba en edad de casarse.

"De este modo, el día que herede el trono, mis súbditos tendrán un rey y una reina...".

Y tuvo una idea brillante:

"Haré una gran fiesta en el palacio e invitaré a todas las muchachas casaderas del reino...".

Y tomando su larga pluma de ganso, el rey escribió la invitación con su mejor letra.

Los heraldos del rey, anunciándose con toques de trompetas y clarines, recorrieron el reino. Por todos lados, en los valles y las montañas, aun en los pueblos más lejanos y pequeños, se oyó el mismo bando:

−¡El primer sábado del mes próximo, al anochecer, todas las muchachas casaderas del reino están invitadas a asistir a una gran fiesta en palacio!

Así llegó la noticia a oídos de la madrastra, quien de inmediato ordenó a sus hijas que preparasen sus mejores ropas y alhajas. Al mismo tiempo, le dijo a Cenicienta:

–Tú no irás... Te quedarás en casa fregando el suelo, lavando los platos y limpiando la chimenea.

Las hijas de la madrastra aplaudieron y saltaron de alegría, pero Cenicienta hizo un esfuerzo para no echarse a llorar.

Finalmente, llegó el tan esperado sábado del baile. Al anochecer, vestidas con sus mejores galas, la hijas de la madrastra partieron rumbo al palacio del rey.

Cuando se encontró sola, Cenicienta no pudo reprimir su llanto.

–¿Por qué seré tan desdichada? –exclamó–. ¿Por qué este triste destino?

Y se encaminó hacia la chimenea para barrer las cenizas y reavivar el fuego.

De pronto, entre las llamas apareció un resplandor más luminoso que el fuego.

–No te preocupes, Cenicienta –se oyó una voz–. Tú también irás al baile...

Cenicienta se restregó los ojos, creyendo que soñaba. Pero no, no era un sueño.

Ante ella, una mujer de dulce rostro y tierna voz esgrimía una varita mágica.

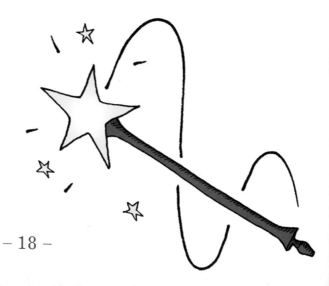

–¿Quién eres? –preguntó Cenicienta.

–Todos los seres de buen corazón tienen un hada madrina –respondió con voz muy dulce aquella extraña mujer–. Yo soy la tuya...

Entonces, el hada rozó con su varita la vieja ropa de la muchacha. Y, en un abrir y cerrar de ojos, Cenicienta se vio cubierta de tules, sedas y terciopelos, al tiempo que un collar de piedras preciosas rodeaba su cuello.

La joven retrocedió sorprendida y oyó un tintineo: sus pies lucían unos bellísimos zapatitos de cristal.

–Solo te falta el carruaje… –dijo el hada.

Salió al huerto, tocó con su varita una calabaza y, en menos de un suspiro, surgió un elegante carruaje tirado por briosos corceles. En el pescante, un sonriente cochero le hizo señas a Cenicienta para que subiese.

–Espera, Cenicienta –la detuvo el hada–, no te olvides: debes regresar antes de medianoche, porque, a esa hora, la magia desaparecerá…

La llegada de Cenicienta al palacio despertó un murmullo de admiración.

–¿Quién es? –se preguntaron todos, incluso sus hermanastras–. ¿Quién es?

Pero quien más se formuló esa pregunta fue el príncipe, que quedó prendado de la belleza de la muchacha.

A partir de ese instante, el príncipe y Cenicienta no dejaron de bailar juntos.

En medio del giro de un hermosísimo vals, sonaron las campanadas del reloj del palacio. Cenicienta comenzó a contarlas.

–Van a ser las doce –se sobresaltó la muchacha, desprendiéndose del príncipe.

–No te vayas, por favor, no te vayas –rogó el hijo del rey.

Pero Cenicienta se marchó a la carrera. Procurando ser más rápida que el reloj, Cenicienta descendió por las escaleras como una exhalación.

–¡Oh! –exclamó Cenicienta de pronto–. He perdido uno de los zapatitos...

Pero el reloj seguía su curso y, sin tiempo para volver sobre sus pasos, Cenicienta se metió en el carruaje.

Al partir, alcanzó a ver cómo el príncipe, en lo alto de la escalera, apretaba fuertemente contra su pecho el zapatito que ella había perdido.

Esa misma noche, desesperado, el príncipe fue a la cámara real y habló con el rey.

–Padre –le dijo–, estoy enamorado... He encontrado a la mujer de mis sueños... pero...

–¿Pero qué? –se sorprendió el rey.

–También la he perdido...

–¿Quién es? –le preguntó su padre.

–No lo sé... –y le contó cómo había sido todo.

–No desesperes –le contestó el rey–. En tantos años de gobierno, algo he aprendido...

Al día siguiente, el rey volvió a coger su larga pluma de ganso y redactó un nuevo bando.

Los heraldos recorrieron otra vez el reino:

—Por orden del rey, todas las doncellas del reino deberán probarse un zapatito de cristal. Quien pueda calzarlo, se casará con el príncipe y será la futura reina de este país.

De inmediato, la madrastra advirtió a sus hijas:

—Como sea, a la fuerza, aunque os duela, una de vosotras deberá calzarse el dichoso zapatito.

Así fue como, zapatito en mano, el príncipe y sus consejeros llegaron a la casa de Cenicienta.

–Tú vete a limpiar la chimenea –le dijo la madrastra a Cenicienta–. En cuanto a vosotras, hijas, ya sabéis…

Fue inútil: por más que se esforzaban en hacer coincidir su pie con el zapatito, a una le quedaba muy grande y a la otra muy pequeño…

Cuando comprobaron que el zapatito de cristal calzaba perfectamente en el pie de Cenicienta, todos se sorprendieron. Todos, menos el príncipe. Su corazón ya se lo había dicho.

Cenicienta y el príncipe no tardaron en bailar juntos un nuevo vals. Esta vez fue en el baile del día de su boda.

Los habitantes del reino celebraron que una muchacha tan humilde hubiera llegado a ser reina. Con el tiempo, hasta la madrastra y sus hijas olvidaron su envidia.

Y aunque el reloj del palacio marca todas las noches las doce campanadas, los giros del vals continúan. La magia se ha hecho realidad.

Actividades

¿Qué hora es?

Cada uno de estos relojes
marca una hora diferente
¿Serías capaz de escribir
correctamente la hora ex
debajo de cada uno de el

1. _____   2. _____   3. _____   4. _____

Cada oveja con su pareja

Relaciona las palabras con los dibujos correspondientes.

| Fuego | Agua | Tiempo | Luz |

¿Recuerdas?

No te será difícil contestar a estas preguntas si has prestado atención al cuento. Marca con una cruz la respuesta correcta.

(1) ¿En qué transforma el hada madrina la calabaza?

☐ En un globo aerostático.

☐ En una varita mágica.

☐ En un carruaje.

(2) ¿A qué hora debe volver Cenicienta del baile?

☐ No va al baile. Se queda en casa viendo una peli.

☐ A las seis de la madrugada.

☐ A medianoche, es decir, a las doce en punto.

(3) ¿Con qué escribe el rey la invitación para el baile de palacio?

☐ Con una máquina de escribir.

☐ Envía e-mail desde el ordenador que tiene en su despacho.

☐ Con una larga pluma de ganso.

Ordena la historia

Enumera las cuatro ilustraciones por el orden en que aparecen en el cuento.

Una adivinanza
Me pisas y no me quejo,
me cepillas si me mancho,
y con mi hermano gemelo
bajo tu cama descanso.

El laberinto

Cenicienta quiere llegar al baile que se celebra en el palacio, pero no encuentra el camino. ¿Podrías marcárselo con un lápiz?

¿Sabías qué...?

La calabaza, al igual que la patata y el tomate, es una hortaliza que procede de América. Fueron los conquistadores españoles quienes la trajeron a Europa.

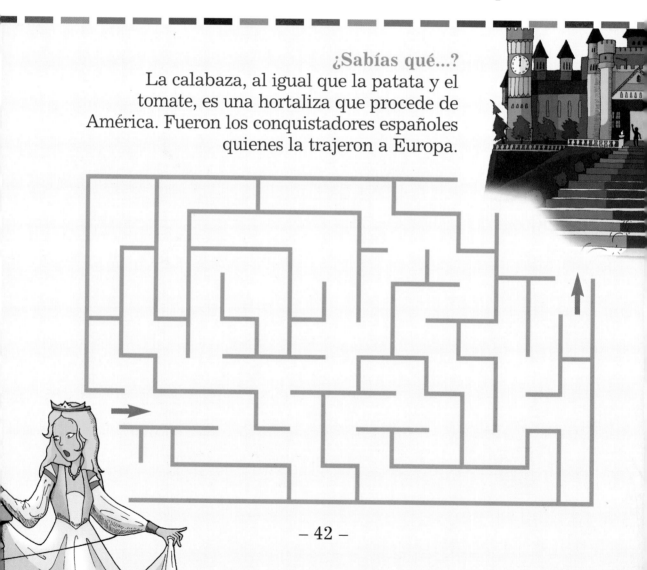

Palabras cruzadas

Escribe en las casillas correspondientes los nombres de estos cinco dibujos, que aparecen en el cuento de Cenicienta.

Completa

Al copiar este fragmento de la página 28 han volado algunas palabras rebeldes. ¿Puedes volver a colocarlas en su sitio?

Pero el _____ seguía su curso y, sin tiempo para volver sobre sus pasos, _____ se metió en el _____.

Al partir, alcanzó a ver cómo el _____, en lo alto de la escalera, apretaba fuertemente contra su pecho

el _____ que ella había perdido.

zapatito

carruaje

reloj

Cenicienta

príncipe

Soluciones

■ Página 38

1. Las diez y media. **2.** Las nueve y cuarto. **3.** Las tres y diez. **4.** Las siete menos cuarto.

■ Página 39

Fuego	Agua	Tiempo	Luz

■ Página 40

(1) En un carruaje.
(2) A medianoche, es decir, a las doce en punto.
(3) Con una larga pluma de ganso.

■ Página 41

Adivinanza: **el zapato**

De izquierda a derecha y de arriba a abajo: **4, 2, 1, 3**

■ Página 42

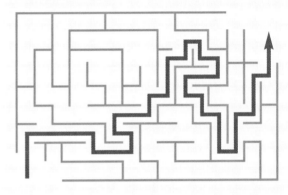

■ Página 43

			J				
			A				
C	A	L	A	B	A	Z	A
		U		O		A	
		N		N		P	
		A				A	
						T	
	P	E	R	R	O		

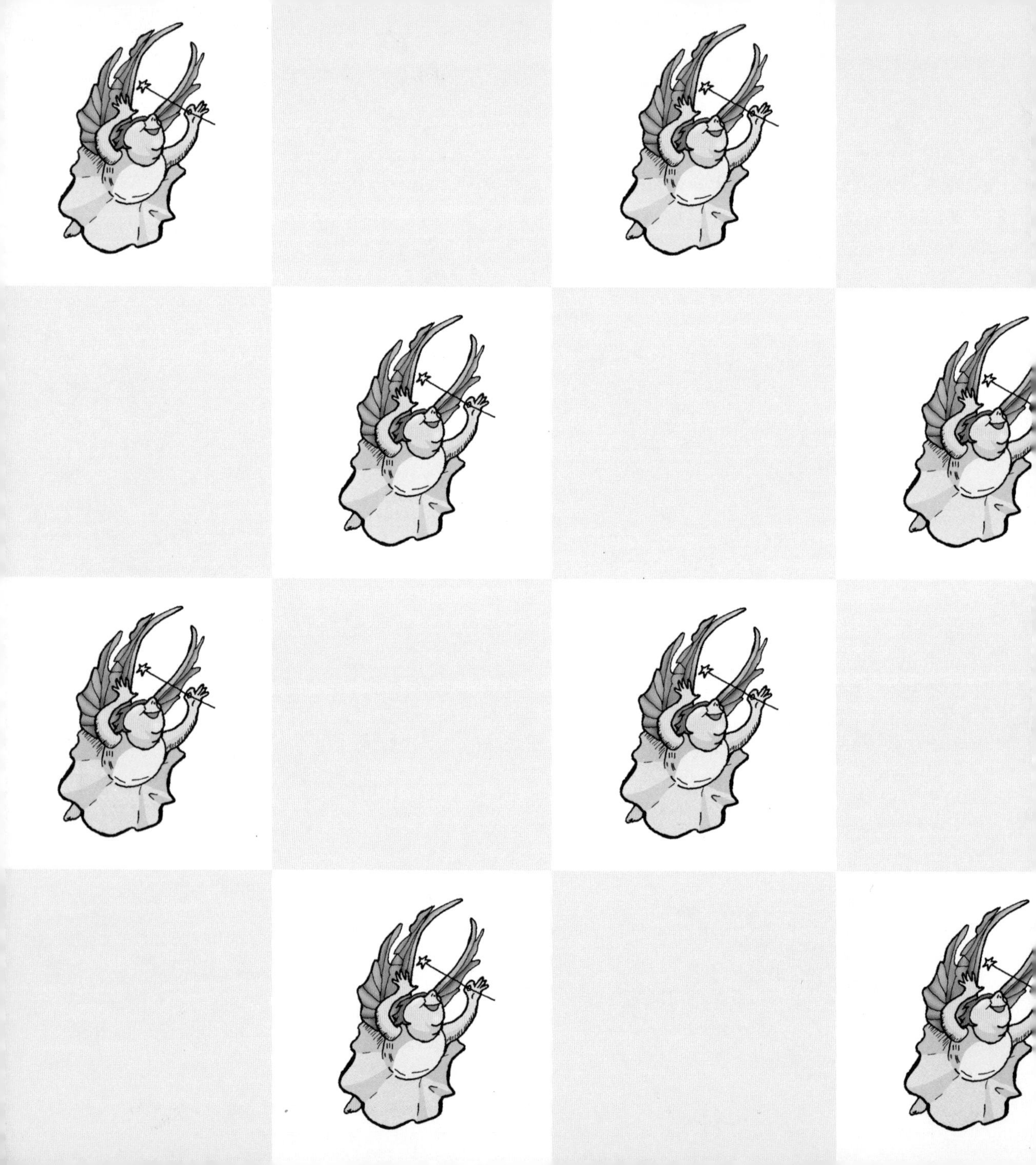

Mientras Pablo trabajaba pacientemente en su nueva casa, Pedro y Pancho, a los que no les gustaba mucho trabajar, empezaron a construirse las suyas.

Pancho, el cerdito más pequeño, decidió hacerla de paja. Fue a buscar un saco de paja, cogió unas cuantas ramas para sostener el techo y, en un abrir y cerrar de ojos, tuvo lista su casita.

"Yo quiero una casa más sólida que la de Pancho –pensó Pedro, el hermano del medio–. ¡La haré de madera!". Pedro taló unos cuantos árboles, cortó los listones de madera, los encajó y los clavó. En menos de una hora tuvo terminada su nueva casa.

Y una vez acabado el trabajo, los dos hermanos se fueron a jugar al estanque.

En un hermoso bosque lleno de pinos y flores silvestres vivían tres cerditos que eran hermanos. El mayor se llamaba Pablo, el del medio, Pedro, y el menor, Pancho.

Los tres cerditos se pasaban el día jugando con los otros animalillos del bosque. Los pajaritos, los conejos, las mariposas, las ardillas… Todos eran amigos de aquellos tres hermanos juguetones.

Pedro y Pancho nunca querían volver a casa; pero, cuando el sol empezaba a ocultarse tras las montañas, Pablo, el hermano mayor, les decía:

–Ya hemos jugado bastante hoy. Vamos, hermanitos, debemos regresar a casa antes de que se haga de noche.

Cuentos Infantiles

EL PAIS

Los tres cerditos

Anónimo

Ilustrado por Sergio Kern

¿Recuerdas?

(1) ¿Qué lleva Caperucita en la cesta para su abuelita?

☐ Una tortilla de patata.

☐ Un ramo de margaritas.

☐ Unos pastelitos de crema.

(2) De camino a casa de la abuela, Caperucita...

☐ Se detiene para hacer un ramo de margaritas.

☐ Recolecta frutos del bosque y los guarda en la cesta.

☐ Recoge piedrecitas en un río.

(3) ¿Quién encuentra al lobo durmiendo en casa de la abuela?

☐ Un campesino del lugar.

☐ Un cazador que pasaba por allí.

☐ La madre de Caperucita.

– 40 –

¿Quién lo ha dicho?

Relaciona el personaje con la frase que ha pronunciado. Para ello, escribe en el círculo en blanco el número que corresponda.

1. ¡Eh, lobo! ¡Vamos, despierta, levántate!

2. No temas niña, prometo que no te haré ningún daño.

3. Pasa, querida, la puerta está abierta.

4. ¡Qué capa más bonita!

¡Vaya desorden!

Reconstruye las siguientes palabras que aparecen en el cuento, ordenando correctamente sus letras.

a p c a = _____

t s e a c = _____

l o f r s e = _____

o o b l = _____

¿Sabias qué..?
La mayoría de las razas de perros descienden del lobo. Por eso, ambas especies animales son tan parecidas tanto en su comportamiento como en su aspecto físico.

Ordena la historia

Como ya conoces la historia de Caperucita Roja, te será fácil enumerar las ilustraciones por el orden en que aparecen en el cuento.

¿Sabías que...?
La expresión "meterse en la boca del lobo" significa "exponerse a un grave peligro". Eso es lo que le sucedió a Caperucita Roja... ¡precisamente con un lobo!

Cada oveja con su pareja

Une cada profesión con el dibujo que le corresponda

| Cazador | Pastelero | Florista | Fotógrafo |

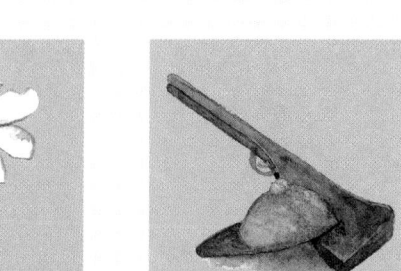

Actividades

Para celebrarlo, la abuela invitó a comer pastelitos a su nieta y al valiente cazador.

Y después de dar buena cuenta de aquella deliciosa merienda, Caperucita Roja se despidió de su abuelita y del cazador y regresó a su casa.

–¡Qué bien que estés aquí, hija! –exclamó la mamá al ver a Caperucita–. ¿Qué tal se encuentra la abuelita?

Y disimulando una pícara sonrisa, Caperucita Roja respondió:

–Mucho mejor, mamá, mucho mejor.

fin

En segundos, ante la sorpresa del lobo, la pócima hizo su efecto y... ¡Zas!

¡Caperucita y la abuelita salieron de la barriga del feroz animal!

–¡Estamos salvadas, estamos salvadas! –gritaban muy contentas la abuela y Caperucita, mientras, cogidas de las manos, bailaban y cantaban con el valiente cazador.

Mientras, el lobo, tendido en el suelo y con la cabeza dándole vueltas, no entendía nada de lo que había sucedido.

Cuando el lobo se recuperó, el cazador lo cogió de una oreja y le dijo:

–Escúchame bien, lobo malo. No vuelvas a molestar a nadie de este bosque. De lo contrario, tendrás que vértelas conmigo. Y ya sabes lo que soy capaz de hacer con los lobos que andan por ahí comiéndose a las abuelas y a las niñas. ¿Lo has entendido bien? Y ahora márchate de esta casa. ¡Vamos, fuera de aquí!

El lobo, que las había pasado canutas con aquel cazador, salió disparado de la casa y se internó en el bosque. Nunca se le volvió a ver por allí.